Gare aux gorilles !

L'auteur : Mary Pope Osborne a écrit plus de quarante livres pour la jeunesse, récompensés par de nombreux prix. Elle vit à New York avec son mari, Will, et Bailey, un petit terrier à poils longs. Tous trois aiment retrouver le calme de la nature, dans leur chalet en Pennsylvanie.

L'illustrateur : Philippe Masson, né à Rennes en 1965, est issu d'une famille de marins bretons. Actuellement, il vit à Tours avec son amie et ses deux enfants, Lucas et Mona. Depuis 1997, il réalise les dessins de « Marion Duval » d'Yvan Pommaux pour le magazine *Astrapi*.

Au Dr Michael Pope.

Titre original : *Good Morning, Gorillas*
© Texte, 2002, Mary Pope Osborne.
Publié avec l'autorisation de Random House Children's Books,
un département de Random House, Inc., New York, New York, USA.
Tous droits réservés.
Reproduction même partielle interdite.
© 2005, Bayard Éditions Jeunesse pour la traduction française
et les illustrations.

Conception: Isabelle Southgate.
Réalisation : Sylvie Lunet.
Colorisation de la couverture ; illustrations de l'arbre, de la cabane
et de l'échelle : Paul Siraudeau.
Suivi éditorial : Karine Sol.
Loi n° 49 956 du 16 juillet 1949
sur les publications destinées à la jeunesse.
Dépôt légal : juin 2005 – ISBN : 2 7470 1732 X
Imprimé en Allemagne par Clausen & Bosse

Léa ouvre le parapluie, Tom allume la torche. Les gouttes de pluie dansent dans le cercle lumineux.

Les enfants suivent la rue qui monte vers le bois de Belleville.

Bientôt, ils marchent à l'abri des arbres. Ils s'arrêtent au pied d'un grand chêne, d'où pend une échelle de corde. Tom lève la lampe vers le sommet de l'arbre. La cabane brille entre les feuilles mouillées.

Léa murmure :

– J'ai l'impression que Morgane n'est pas là...

– Elle nous a sûrement laissé un message, dit Tom.

La petite fille referme le parapluie et commence à grimper ; son frère la suit.

Non, la fée n'est pas là. Mais les rouleaux de parchemins, que les enfants ont rapportés d'Angleterre*, sont toujours sur le plancher.

Le garçon sourit :

* Lire le tome 20, *Sur scène !*

– La magie du théâtre...

Lui, Tom, il a joué dans une pièce de Shakespeare ! Il a rencontré ce grand écrivain, au temps de la reine Élisabeth 1re ! Quel souvenir fabuleux !

– Hé, Tom ! souffle Léa. Envoie un peu de lumière par ici !

Dans le faisceau de la lampe, un livre apparaît. Un morceau de papier dépasse des pages.

La petite fille le prend, le déplie, et lit à haute voix :

Chers enfants,
Cette comptine vous guidera
Dans votre deuxième voyage :
Dans un monde bien loin d'ici,
Lorsqu'on parle avec les mains,
Lorsqu'on pense avec le cœur,
Le reste se fait... par magie !
Bonne chance !

Morgane

– Je n'y comprends rien, bougonne Tom.

– On comprendra sur place, ne t'inquiète pas !

– Oui, mais... où ça ?

Le garçon ramasse le livre et éclaire la couverture. Le titre est : *La forêt tropicale africaine.*

– Heureusement qu'on a emporté une lampe ! soupire-t-il. Tu te souviens de notre voyage au bord du fleuve Amazone ?* On était dans une forêt tropicale, et il faisait tellement sombre, sous les arbres !

* Lire le tome 5, *Sur le fleuve Amazone.*

– Moi, je me souviens surtout des fourmis carnivores, dit Léa en frissonnant.

Tom déclare, rassurant :

– Il n'y en a pas forcément, là où nous allons.

– Et les crocodiles ? Et... et les piranhas ?

– Eh bien... il n'y a peut-être pas de fleuve non plus. Toutes les forêts tropicales ne se ressemblent pas, tu sais !

– Tu as raison. Bon, allons-y !

Léa pose le doigt sur le livre et déclare :

– Nous souhaitons aller à cet endroit !

Le vent commence à souffler, la cabane à tourner.

– Hé ! s'écrie la petite fille. Et les jaguars ? Et les serpents ? Et les chauves-souris vampires ?

Trop tard ! La cabane tourne plus vite, de plus en plus vite. Elle tourbillonne comme une toupie folle.

Puis tout s'arrête, tout se tait.

2

Animaux dans le brouillard

Léa court à la fenêtre :

– Où sommes-nous ? On n'y voit rien !

Son frère la rejoint. Il fait jour, mais le paysage baigne dans un épais brouillard.

Tom ouvre le livre et lit :

La forêt tropicale humide couvre les montagnes d'Afrique centrale.
À l'est s'élève le mont volcanique de Virunga. Ce nom signifie « la montagne qui touche le ciel ».

– Je comprends, dit Léa. La cabane s'est posée si haut qu'on est comme dans un nuage.

– C'est sûrement ça, approuve Tom.

Il continue la lecture :

La forêt tropicale africaine abrite quantité d'animaux : des éléphants, des buffles, des léopards...

Il lève les yeux du livre et répète :
– Des léopards... ?
Il s'éclaircit la gorge et poursuit :

**des antilopes, des cochons sauvages
et des gorilles.**

C'est au tour de Léa de répéter :
– Des gorilles ? Oh, j'aime trop les gorilles !

– Moi aussi ! Je voudrais connaître leurs habitudes, étudier leur comportement, comme un vrai scientifique !

– Alors, descendons vite ! s'écrie Léa. Ça, c'est une belle aventure !

La petite fille s'engouffre déjà dans l'ouverture de la trappe. Tom range dans son sac le livre et la lampe-torche. Il coince le parapluie sous son bras et suit sa sœur.

Au sol, le brouillard n'est plus qu'une légère brume. Les enfants marchent sous des arbres immenses, sur un sol couvert de mousse, où poussent des plantes à larges feuilles.

– Regarde un peu celui-là ! s'exclame Léa.

Elle désigne un arbre au tronc énorme, dont les branches basses sont recouvertes d'épais coussins de mousse :

– On dirait un fauteuil !

– Je vais le dessiner dans mon carnet ! s'enthousiasme Tom.

Il pose le parapluie par terre, sort de son sac le carnet et le stylo, et commence un croquis.

– Hé, Tom ! appelle à voix basse Léa, qui s'est un peu éloignée. Viens voir ! Vite !

Tom ramasse ses affaires et rejoint sa sœur. Elle pose un doigt sur ses lèvres :

– Chut ! Écoute !

On entend des branches craquer. « Un léopard ? » se demande Tom en jetant autour de lui des coups d'œil apeurés. Il chuchote :

– On devrait peut-être remonter dans la cabane...

Mais Léa ne répond pas. Elle observe les buissons, sans bouger, avec un grand sourire. Tom suit son regard.

Une tête noire et hirsute émerge d'entre les feuilles. Un petit gorille !

– Bou ? Bou ? fait-il.

3

Boubou

Le jeune gorille a de larges narines et de petites oreilles. Ses yeux brillants dévisagent les enfants avec espièglerie. Il répète :

– Bou ? Bou ? Bou !

– Bou toi-même ! lance Léa en riant.

L'animal se cache derrière les feuilles. Puis il sort de nouveau la tête.

– Coucou ! fait Léa.

Le gorille frappe dans ses mains et tire la langue ; les enfants éclatent de rire.

– Bou ! Bou !

Le voilà qui s'éloigne en bondissant dans la brume.

– Hé, Boubou ! lui crie Léa. Attends-nous !

– Léa ! proteste Tom. Ne traite pas tous les animaux comme s'ils étaient tes copains !

Mais sa sœur est déjà partie. Tom soupire, et il note sur son carnet :

Petit gorille sait jouer
à cache-cache, applaudir,
tirer la langue

Il entend les rires de Léa. Soudain, un cri aigu s'élève, suivi d'un autre cri.

« Un léopard ? » pense aussitôt le garçon, alarmé.

Il jette le carnet et le stylo dans son sac et se précipite. Il découvre Léa et Boubou perchés chacun sur une branche basse.

– Qu'est-ce qui ne va pas ? s'inquiète-t-il.

– Rien ! On joue.

Le jeune gorille pousse encore un cri. Puis il se gratte la tête. Léa se gratte la tête aussi. Le gorille applaudit ; Léa applaudit.

Pendant qu'ils jouent à s'imiter, Tom observe l'animal. Sa taille est à peu près celle de leur petit cousin. Ses mains sont semblables à des mains humaines.

Il note sur son carnet :

Taille : comme un enfant
          de 3 ans.
Mains : ressemblent
         aux nôtres.
Doigts : avec des ongles
          au bout.

Tom entend un bruissement de feuilles. Il lève la tête. Sa sœur escalade les branches avec son nouveau copain.

– Redescends, Léa ! Il y a peut-être des bêtes ; et il commence à faire sombre.

Il regarde autour de lui. De grandes ombres envahissent la forêt. « Est-ce la nuit qui tombe ? Ou une tempête qui arrive ? » songe-t-il avec angoisse.

Le jeune gorille monte de plus en plus haut sans cesser de criailler.

– Hé, Boubou ! Où tu vas ? l'interpelle la petite fille en grimpant derrière lui.

Tom finit par s'énerver :

– Ça suffit, Léa ! Redescends tout de suite ! Je suis sérieux.

À son grand soulagement, le gorille s'arrête sur une branche. Puis, tout à coup, il se balance dans le vide et saute sur un autre arbre.

Tom prévient sa sœur :

– Léa ! N'essaie pas d'en faire autant, sinon...

Trop tard ! Léa se suspend à une branche, se balance et... Mais elle n'est pas aussi habile qu'un singe ! Elle rate l'autre branche et, POUF ! elle tombe juste aux pieds de Tom.

– Léa !

4

Un cauchemar

Tom s'agenouille auprès de sa sœur. Elle halète, la respiration coupée. Le jeune gorille dégringole de l'arbre et s'approche d'elle. Il penche la tête et se mordille la lèvre d'un air perplexe.

– Léa ? Ça va ? Tu peux bouger tes bras et tes jambes ?

Elle lève les bras, elle plie les jambes. Ouf, rien de cassé ! Heureusement qu'il y a une bonne couche de mousse par terre !

À cet instant, Tom reçoit une goutte sur le nez, puis une autre, et encore une autre.

La brume se transforme en pluie.

– Je file chercher le parapluie, dit-il. Je l'ai laissé près de l'arbre-fauteuil.

Léa essaie de se relever :

– Je vais avec toi.

– Non, reste ici ! Reprends ton souffle ! Ce n'est pas loin, je reviens tout de suite.

Il enlève son blouson et en recouvre les épaules de sa sœur :

– Tiens, ça te protégera de la pluie.

Il prend son sac et s'éloigne. Le gorille pousse de petits cris inquiets.

– Toi, reste avec Léa ! lui ordonne Tom.

Il marche, cherchant du regard l'arbre avec ses drôles de coussins. Il fait de plus en plus sombre.

Tom découvre des quantités d'arbres aux branches couvertes de mousse ; il y en a partout, ils se ressemblent tous. Lequel est le bon ?

Bientôt, il ne voit presque plus rien : la nuit tombe sur la forêt, et une tempête arrive en même temps.

« Tant pis pour le parapluie », pense-t-il.

Le plus important, c'est de retrouver Léa. Ils attendront le matin ensemble.

Tom revient sur ses pas. Seulement, la nuit est tout à fait noire, à présent ; il ne sait plus où aller. Il appelle :

– Léa ! Boubou !

Il se sent un peu stupide de crier

31

« Boubou », comme ça, mais il aimerait bien que le jeune gorille soit là.

Il avance à tâtons, les mains en avant, tout en continuant d'appeler :

– Léa ! Boubou ! Où êtes-vous ?

Personne ne répond. Il a beau tendre l'oreille, il n'entend que le crépitement de la pluie sur les feuilles.

Soudain, il a l'impression de heurter une gigantesque toile d'araignée. Il fait un bond en arrière :

– Aaaaaaaah !

Il glisse et tombe dans une flaque. Pataugeant dans la boue, il rampe jusqu'à un arbre et se réfugie entre deux énormes racines.

« Je vais attendre qu'il fasse jour, se dit-il. Alors, je retrouverai Léa, et on rentrera à la maison. »

Il se souvient des léopards, tout à coup. Il s'efforce de chasser cette pensée.

Pourquoi Morgane les a-t-elle envoyés dans un endroit pareil ? Il essaie de se rappeler la comptine :

Dans un monde bien loin d'ici...

Il a oublié la suite. Il appuie la tête sur son sac et ferme les yeux en se répétant :

Dans un monde bien loin d'ici...

Rien à faire. Il a perdu les mots, et, surtout, il a perdu Léa. La belle aventure a tourné au cauchemar.

5

Dos d'argent

Tom sent qu'on le tire par la manche.
Il ouvre les yeux.

– Bou ! Bou !

Le jeune gorille l'observe, la tête penchée.
La pâle lumière de l'aube emplit la forêt.

Tom se redresse. Il est raide, et il a mal
partout. Ses vêtements mouillés lui collent
à la peau. Il regarde autour de lui. Une
brume argentée s'accroche aux branches.

– Où est Léa ? demande-t-il.

– Bou ! Bou ! répond le gorille en agi-
tant les bras.

Soudain, il bondit et s'éloigne entre les arbres.

– Attends-moi ! crie Tom.

Il attrape son sac à dos et s'élance derrière le singe.

L'animal le conduit à travers la forêt ; sa tête noire apparaît et disparaît derrière les plantes à larges feuilles.

Enfin, il s'arrête devant une rangée d'arbustes. Tom s'avance et écarte les feuillages.

– Oooooh ! souffle-t-il.

D'énormes créatures sont étendues dans l'herbe d'une clairière. Des gorilles ! Ils sont une dizaine.

Certains dorment sur le dos, d'autres sont allongés sur le ventre. Il y en a de toutes les tailles. Le plus petit est un bébé, pelotonné dans les bras de sa mère. Le plus grand est un géant à la fourrure noire et argent.

Tom sort le livre de son sac. Il cherche le chapitre sur les gorilles et lit :

Les gorilles des montagnes vivent
en famille.
Le plus grand mâle est le chef.
On l'appelle « Dos d'Argent »,
parce que son dos et ses épaules sont
recouverts d'une fourrure argentée.
Les gorilles ne sont pas des prédateurs.
Ils se nourrissent principalement
de végétaux.
Ce sont de timides et gentils géants.

37

De timides et gentils géants ? Cette idée plaît au garçon.

Il contemple les gorilles endormis. Boubou lui fait signe depuis le fond de la clairière. Il désigne une forme allongée dans l'herbe : c'est Léa !

Elle dort à poings fermés.

Tom ne sait pas quoi faire.

S'il appelle sa sœur, il va réveiller les dormeurs. Il vaut mieux qu'il aille jusqu'à elle sans bruit.

Il remet le livre dans son sac. Il se faufile

entre les buissons et s'avance dans la clairière, le cœur battant.

Pour se rassurer, il se répète la phrase du livre : « de timides et gentils géants ».

Alors qu'il s'approche de Léa, il entend un grognement derrière lui. Il se retourne. Le grand gorille à la fourrure d'argent a ouvert les yeux. Quand il remarque Tom, il s'assied. Le garçon s'arrête net.

Le gorille ne bouge pas. Il ne semble ni timide ni gentil. Tom aperçoit une branche par terre. Il se baisse lentement et la ramasse, juste au cas où...

En voyant le bâton dans la main de Tom, le gorille grogne plus fort. Il se lève. Il n'est pas grand, il est gigantesque !

Tom lâche le bâton.

Dos d'Argent grogne de nouveau. Ses longs bras couverts d'un épais pelage pendent jusqu'au sol. S'appuyant sur ses doigts repliés, il avance vers le garçon.

Tom recule.

Le gorille avance encore ; Tom continue de reculer. Il sent les buissons dans son dos, il passe au travers, jusqu'à ce qu'il soit coincé par un enchevêtrement de branches.

L'animal avance toujours. Tom ne peut plus reculer.

– Euh... salut ! bredouille-t-il.

Il tend la main et poursuit :

– Je viens en...

Il veut dire : « Je viens en ami. » Mais, avant qu'il ait terminé sa phrase, le gorille devient comme fou. Il se met à sauter, à bondir, en poussant de grands cris.

Tom s'accroupit, terrorisé.

Le gorille est de plus en plus excité. Il attrape un tronc d'arbre et le secoue de toutes ses forces. Il arrache les feuilles des branches, il grince des dents, il serre les poings et tambourine bruyamment contre sa poitrine.

– GRAOUH ! rugit-il. GRAOUH !

Puis il se laisse tomber à plat ventre et frappe le sol de ses quatre paumes. Il frappe, frappe, frappe...

Tom rampe en vitesse à l'abri d'un arbre. Il ferme les yeux : c'est terrible ! Si le gorille fou le tire de sa cachette, il va le mettre en pièces !

Bonjour, les gorilles !

Enfin, le gorille se calme ; le silence s'étire.

Tom rouvre les yeux, passe prudemment la tête hors de sa cachette...

L'énorme animal est assis par terre, l'air très content de lui. Ses lèvres se retroussent, on dirait qu'il sourit.

« Qu'est-ce que c'est que ce cinéma ? » pense Tom.

Le garçon ne sait plus s'il doit rire ou s'enfuir en courant. La seule chose dont il est sûr, c'est qu'il lui faut récupérer Léa.

Il sort le livre de son sac et consulte de

nouveau le chapitre concernant les grands
singes. Il lit :

Pour approcher les gorilles
en toute sécurité, il faut se comporter
comme eux : avancer en s'appuyant
sur ses doigts repliés, baisser la tête
et se montrer amical.

Tom range le livre, jette le sac sur son
épaule. Puis il s'agenouille.

Il respire profondément, affiche un large
sourire, et sort de derrière l'arbre en

laissant traîner ses mains par terre. Ça fait mal aux doigts ; tant pis !

Le gorille grogne. Tom ne relève pas la tête ; il continue d'avancer comme un singe, sans cesser de sourire. Il entreprend de traverser la clairière pour rejoindre Léa.

Au bout d'un moment, il jette un regard en arrière. Le gorille géant le suit. Il fronce ses sourcils broussailleux d'un air perplexe, mais ne semble pas vouloir attaquer.

Tom progresse toujours.

Les gorilles se réveillent les uns après les autres. L'un d'eux tient Boubou dans ses bras. Quand le jeune gorille aperçoit Tom, il pousse de petits cris joyeux.

Les autres dévisagent le garçon en criaillant nerveusement.

Le cœur de Tom n'a jamais battu aussi fort ; pourtant, il ne s'arrête pas. Le sourire se fige sur ses lèvres.

Enfin il rejoint Léa.

– Réveille-toi, chuchote-t-il en la secouant.

La petite fille bâille, s'étire et ouvre les yeux :

– Oh, c'est toi ? Salut !

– Tu vas bien ?

– Très bien !

Elle s'assied, regarde autour d'elle et souffle :

– Oooooh !

Puis, l'air ravi, elle s'exclame :

– Bonjour, les gorilles !

7

Le petit déjeuner

– Ça alors ! Ça alors ! répète-t-elle.

– Tu ne savais pas que tu avais dormi parmi eux ? s'étonne Tom.

– Non ! Comme tu ne revenais pas, Boubou m'a amenée ici. Mais je n'ai rien vu, la nuit était trop noire.

À cet instant, Boubou échappe à sa mère et court vers Léa. Il s'installe sur ses genoux et l'entoure de ses longs bras, comme pour l'embrasser.

Un autre petit, pas plus grand qu'un enfant de deux ans, s'approche à son tour.

– Ho ! Ho ! fait-il en tapotant amicalement le bras de Léa.

La petite fille lui rend la pareille :

– Alors, toi, tu t'appelles Hoho ? Bonjour, Hoho !

Les deux jeunes gorilles se laissent tomber sur le dos, les pattes en l'air, et roulent dans l'herbe en gloussant joyeusement. Leurs mères secouent la tête avec de drôles de « Huh-huh-huh ! ».

Pas de doute, ça les amuse !

Tom se sent un peu jaloux : sa sœur sait toujours s'y prendre, elle, avec les animaux !

Il soupire et sort son carnet du sac.

Il note :

Les gorilles rient
et font des blagues.

Soudain, il entend un grondement derrière lui.

Dos d'Argent s'est approché et l'observe avec des yeux brillants.

– Il se demande ce que tu fabriques, explique Léa. Il n'a encore jamais vu quelqu'un écrire.

Tom referme vite son carnet.

Le grand mâle hausse les épaules, puis il se détourne.

Aussitôt, les autres se lèvent. Hoho saute sur le dos de sa mère, Boubou prend la main de Léa.

Tous s'avancent hors de la clairière à la suite du chef de famille.

– Tu viens, Tom ? appelle Léa. On accompagne Gros Costaud et sa bande !

– Je ne suis pas sûr que ma compagnie leur plaise, grommelle le garçon.

Mais Boubou se retourne et lui tend la main.

– Si, tu vois ! Boubou veut que tu viennes !

Tom saisit timidement la petite main velue et se laisse conduire.

Tout en traversant la forêt, les gorilles se gavent de nourriture. Ils mastiquent des fleurs, des feuilles, des fougères.

Ils arrachent des écorces et brisent des morceaux de bambous. Et ils mâchent, et ils avalent, et ils rotent de contentement.

La pluie se remet à tomber ; ça ne trouble pas les gorilles. Ça ne trouble pas Léa non plus. Elle joue à cache-cache derrière les arbres avec Boubou. Ils n'arrêtent pas de rire, chacun à sa façon.

Tom, lui, commence à en avoir assez. Il est mouillé, il a froid. Il s'arrête, s'installe à l'écart, à l'abri d'un arbre moussu, et profite de cet instant de solitude pour noter dans son carnet :

Ce que mangent
les gorilles :
fleurs, feuilles, fougères,
écorces, bambous...

Un sourd grognement lui fait lever la tête. Gros Costaud le dévisage, les sourcils froncés, ses grosses lèvres serrées.

– Je... euh... désolé ! balbutie Tom en refermant vivement le carnet.

L'énorme bête garde son air sévère. Tom se dépêche de se comporter comme un gorille.

Il laisse pendre ses bras pour que ses doigts repliés touchent le sol, il arrache quelques feuilles, les fourre dans sa bouche et fait mine de les mastiquer avec appétit. C'est amer ; tant pis !

Le gorille hausse les épaules et s'éloigne. Tom recrache vite les feuilles mâchonnées. Berk !

À cet instant, il sursaute : quelqu'un lui tapote l'épaule. C'est le petit Hoho, qui lui offre gentiment une belle écorce.

– Non, merci, Hoho ! dit Tom.

Le petit gorille insiste.

– Bon, d'accord ! Merci ! Je... je la mangerai plus tard.

Et le garçon glisse l'écorce dans son sac. Maintenant, c'est la mère de Hoho qui intervient. Elle veut fourrer quelque chose dans la bouche de Tom. Celui-ci recule :

– Non, merci ! Vraiment !

La mère gorille le regarde d'un air si déçu qu'il soupire :

– Juste un petit bout, alors !

Il ouvre la bouche. À sa grande surprise, ce sont des baies délicieuses !

Il mâche, il avale, et il rote, à la manière des gorilles. Et, cette fois, ce n'est pas pour les imiter !

La mère de Boubou arrive à son tour. Elle offre à Tom de l'eau de pluie dans une feuille arrondie comme une tasse.

Tom meurt de soif. L'eau est fraîche, et il la boit avec plaisir.

Puis la gentille femelle le tire par la main pour le ramener vers les autres. Boubou saute de joie en le voyant arriver, et le serre entre ses longs bras.

– Qu'est-ce que tu faisais ? demande Léa. Tu t'amusais ?

Tom approuve de la tête en souriant.

Oui, il s'amusait ! La pluie ne le gêne même plus, à présent. Il se sent accepté par les gorilles, lui aussi.

8

Un autre langage

La pluie a cessé. Les gorilles ont fini de manger.

Gros Costaud reconduit sa famille dans la clairière. Les rayons du soleil traversent la brume et font étinceler les brins d'herbe.

Le Dos d'Argent s'allonge, les bras derrière la tête.

Les autres gorilles se groupent autour de lui, tapotant l'herbe pour l'aplatir.

La mère de Hoho fabrique un matelas de fougères pour son petit ; celle de Boubou en prépare un avec des feuilles.

Puis elle installe deux autres matelas, un pour Tom et un pour Léa.

Tout le monde se couche pour une bonne sieste. Tom utilise son sac à dos en guise d'oreiller.

Étendu sur son lit de feuilles, le garçon observe une mère gorille qui s'occupe de son bébé. Elle fouille soigneusement les poils de son crâne pour en retirer les parasites. Le petit gigote ; il lui échappe et se met à trotter dans l'herbe.

La mère s'approche alors de Léa et tire sur ses couettes.

– Qu'est-ce qu'elle veut ? s'exclame la petite fille.

– Te chercher des poux dans la tête !

– Berk ! fait Léa en s'écartant.

Tom pouffe. Au même instant, le bébé lui saute dans les bras.

– Ah non ! Va-t'en ! crie le garçon. Garde tes poux pour toi !

Le bébé crapahute jusqu'à Léa. Elle le soulève et lui gratouille la tête gentiment :

– Ça va, Petit Gars ?

Dès que la famille gorille est endormie, Tom sort le livre de son sac.

Il lit à Léa à voix basse :

**Les gorilles sont très intelligents.
Dans les années 1970, Koko,
un gorille en captivité, a même réussi
à apprendre la langue des signes
utilisée par les sourds. Koko savait dire...**

– Quoi ? l'interrompt Léa. La langue des signes ?

Elle a parlé trop fort. Boubou et Hoho se réveillent. Ils s'assoient et se frottent les yeux.

– Ben... oui ! Et alors ?

– La comptine de Morgane ! Tu ne te souviens pas ?

Et elle récite :

**Dans un monde bien loin d'ici,
Lorsqu' on parle avec les mains...**

– Oooooh ! souffle Tom.

– Je connais un peu cette langue, continue sa sœur. À l'école, on a appris à dire : « je vous aime. »

Léa pose Petit Gars par terre. Elle ferme la main. Puis elle déplie le pouce, l'index et l'auriculaire.

Elle montre ce signe à Boubou et à Hoho en articulant distinctement :

– Je-vous-aime.

Tous deux l'observent avec curiosité.

Tom fait le geste à son tour :

– Je-vous-aime.

Les jeunes gorilles se regardent, ils regardent Tom, ils regardent Léa. Enfin, ils lèvent la main et essaient de les imiter.

– Ils nous aiment aussi ! se réjouit Léa.

Non loin de là, Gros Costaud a ouvert les yeux. Tom se dépêche de refermer le livre. À son grand soulagement, le gorille se tourne de l'autre côté.

– Eh bien, soupire Léa, je crois qu'on a trouvé notre magie !

À cet instant, Boubou se met à pousser des cris perçants.

– Qu'est-ce que tu as ? demande Tom. Quelque chose t'a effrayé ?

– Petit Gars ! s'exclame Léa. Il a disparu !

Boubou n'arrête pas de crier. Il désigne un buisson, non loin de là, puis un arbre juste au-dessus.

Les enfants lèvent les yeux. Petit Gars est accroché à une branche. Il tente de se hisser dessus, affolé.

Le buisson frémit, et un énorme chat, à la fourrure noire et luisante, en émerge lentement. Ses yeux verts fixent le bébé gorille d'un air affamé.

– Un léopard ! souffle Tom.

Le fauve est sous la branche, maintenant. Il se ramasse, prêt à bondir.

– Non ! hurle Léa.

Elle se précipite, attrape Petit Gars et saute en arrière. Le léopard retrousse ses babines ; il émet un feulement de colère. Tom est horrifié. Le fauve va attaquer sa sœur !

Soudain, il se souvient de l'étrange comportement de Gros Costaud. Il saute sur ses pieds et pousse un terrible grondement.

Bras pendant vers le sol, comme le Dos d'Argent, il court se placer entre sa sœur et le félin. Il attrape un bâton et le secoue férocement.

Il arrache des feuilles sans cesser de gronder. Il se redresse, ferme les poings et tambourine sur sa poitrine :

– GRAOUH ! rugit-il. GRAOUH !

Puis il se laisse tomber sur le ventre et frappe le sol des mains et des pieds. Il frappe, frappe, frappe...

– Tom ! l'appelle Léa. Tom !

Le garçon relève la tête.

– Il est parti ! Le léopard est parti !

Tom s'assied, un peu étourdi. Il rajuste ses lunettes. Il regarde autour de lui et sourit : lui, Tom, il a effrayé un léopard !

Au revoir,
les gorilles !

Boubou et Hoho dévisagent Tom avec admiration. Léa, elle, n'en revient pas :

– Où as-tu appris un truc pareil ?

Avant que son frère ait pu répondre, il y a un froissement de feuilles dans les buissons. Et Gros Costaud apparaît.

L'énorme gorille marche lentement vers Léa, qui tient toujours Petit Gars. Il prend le bébé, le pose sur son épaule. Puis il caresse gentiment la joue de la petite fille.

Léa sourit, ravie.

Le chef de la famille pousse une sorte

de jappement et invite de la main Boubou
et Hoho à venir avec lui.

Il s'avance alors
vers Tom et s'ar-
rête devant lui :

– Huh-huh-huh !
fait-il d'une grosse
voix.

Il pose sa large
main sur la tête du
garçon. Enfin il
s'éloigne, accom-
pagné des deux
jeunes.

Tom a l'impression que le sommet de son
crâne brille comme de l'or.

– Wouah ! souffle-t-il. Tu as vu ça ?

– Oui, explique Léa. Il a dû voir comment
tu as mis le léopard en fuite. Il a voulu te
remercier.

La petite fille soupire :

– Il est temps de leur dire au revoir, je crois !

– Au revoir ? répète Tom.

Il n'a aucune envie de quitter les gorilles. Il les aime trop. Léa le tire par la manche :

– Allez, viens !

Tous deux se dirigent vers la clairière.

La famille gorille est réveillée. Petit Gars a retrouvé les bras maternels. Boubou et Hoho semblent bavarder avec leurs mères.

« Ils leur racontent sûrement mes exploits », pense Tom avec fierté.

Les enfants marchent jusqu'à Grand Costaud. Les autres gorilles se pressent autour d'eux, curieux.

– Nous devons partir, maintenant, leur explique Léa. Merci à tous de nous avoir accueillis comme si... comme si on était un peu de la famille !

Les enfants agitent la main.

Le Dos d'Argent les imite. Pas de doute, il les salue ! Puis il ferme le poing, déplie

le pouce, l'index et l'auriculaire. « Je vous aime ! »

Tom n'en croit pas ses yeux.

Léa s'empresse de répondre en langage des signes : « Je vous aime ! » Tom fait le geste, lui aussi.

Le grand gorille les fixe un instant. Puis il rassemble sa famille, qui s'ébranle derrière lui.

Boubou est le seul à regarder en arrière. Il pousse un petit cri et agite la main.

Tom a la gorge serrée. Il avance d'un pas, comme pour suivre les gorilles.

– Hé ! le retient sa sœur. Où vas-tu ? La cabane est de l'autre côté.

Le garçon soupire et fait demi-tour.

– N'oublie pas ça ! dit Léa, en ramassant le sac à dos dans l'herbe. Et ça non plus !

Léa attrape le blouson de son frère, abandonné sous un arbre. Tom le noue autour de sa taille.

– Merci !

Léa reprend au passage la lampe-torche et le parapluie, restés près de l'arbre-fauteuil.

Au moment où les enfants arrivent devant

l'échelle de corde, la pluie se remet à tomber. Ils grimpent vite dans la cabane.

Arrivés à l'intérieur, ils courent se pencher à la fenêtre. Tom espère apercevoir encore une fois la famille des gorilles. Mais un épais brouillard recouvre la forêt.

Léa prend le livre sur le bois de Belleville. Elle pose le doigt sur la couverture et prononce la phrase rituelle :

– Nous souhaitons rentrer à la maison !

À cet instant, un appel joyeux s'élève et monte jusqu'à eux à travers la brume, faisant bondit le cœur de Tom : c'est le dernier au revoir des gorilles.

Le garçon ouvre la bouche pour répondre. Trop tard !

Le vent s'est mis à souffler, la cabane à tourner.

Elle tourne plus vite, de plus en plus vite.

Tom ferme les yeux.

Puis tout s'arrête, tout se tait.

10

Une autre
sorte de magie

Tap tap tap...

Tom ouvre les yeux. Il pleut, et c'est encore la nuit, dans le bois de Belleville.

– Nous sommes de retour, murmure Léa.

Son frère soupire :

– Ils me manquent déjà !

– À moi aussi ! Tu as pris beaucoup de notes sur leurs habitudes et leur comportement ?

Tom hausse les épaules :

– J'ai fait une liste, mais ce n'est pas suffisant. Il faut aimer les gorilles et vivre avec eux

73

longtemps pour les comprendre vraiment.

– C'est juste.

Tom sort le livre de son sac à dos et va le poser dans un coin de la cabane. Puis il montre à sa sœur le morceau d'écorce que le petit Hoho lui a donné :

– J'ai promis de le manger plus tard. Mais je pense qu'il vaut mieux le laisser à Morgane.

– Bonne idée ! Ce sera la preuve que nous avons découvert une nouvelle sorte de magie.

– Oui, la magie des gorilles !

– Celle qui nous a permis de communiquer avec les gorilles grâce au langage des signes ! précise Léa.

Tom approuve de la tête. Il va placer l'écorce près des rouleaux de Shakespeare.

– On rentre à la maison ! décide la petite fille.

Le parapluie sous son bras, le sac sur son

dos, Tom marche en silence. Léa ne parle pas non plus. Tous deux sont pensifs. Ils suivent le sentier qui sort du bois.

La nuit est froide, et il pleut. Tom s'en fiche. Il n'enfile pas son blouson, il n'allume pas la lampe, il n'ouvre pas le parapluie. Il a l'impression de ne plus être tout à fait humain. Il y a encore un peu de gorille en lui.

Il lâche à voix basse :

– Ho, ho, ho !

– Bou ! Bou ! répond Léa.

Et, en même temps, ils lancent :

– Huh, huh, huh !

Et c'est comme si le rire du grand gorille résonnait là, dans le bois de Belleville.

À suivre

Découvre vite la suite
des aventures de Tom et Léa dans

**Drôles de rencontres
en Amérique.**

La cabane magique

propulse
Tom et Léa

en Amérique

★ 3 ★

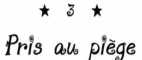

– AAAAAAH !

– Tom ! hurle Léa.

Le chien bondit autour du captif en jappant.

Tom se balance, la tête en bas. Son chapeau, ses lunettes, son sac, tout a dégringolé.

Il dit d'une voix étranglée :

– J'ai posé le pied sur un piège.

– Ne bouge pas, je vais te libérer !

Léa saute pour attraper la corde, mais celle-ci est trop haute. Des voix s'élèvent, couvrant les aboiements du chien.

Un petit groupe de gens entoure les enfants.

– Le pauvre petit ! s'écrie une femme.

Un homme s'esclaffe :

– On a attrapé un drôle de gibier !

Il chasse le chien d'un coup de pied et empoigne Tom.

★ ★ ★ ★ ★ ★ ★ ★ ★ ★ ★

Un autre homme coupe la corde avec un couteau. Puis ils reposent le garçon à terre.

Étourdi, Tom titube, s'assied dans les feuilles mortes et frictionne sa cheville endolorie.

– Tiens ! dit Léa en lui tendant ses lunettes, son sac et son chapeau.

– Merci !

Il remet les lunettes sur son nez et découvre la petite foule rassemblée autour d'eux.

Les femmes et les filles sont vêtues comme Léa, les hommes et les garçons comme Tom, sauf un. Il a la peau brune ; ses cheveux noirs sont tressés et décorés d'une plume.

« Est-ce Squanto ? s'interroge Tom. L'Indien qui a aidé les Pèlerins ? »

Deux hommes s'avancent, l'un souriant, l'autre renfrogné.

– Bonjour ! lance le premier. Qui êtes-vous ?

Léa se présente, très à l'aise :

– Je suis Léa. Mon frère s'appelle Tom. Nous sommes ici en amis.

– Bienvenue à la colonie de Plymouth, dit

l'homme. Je suis le gouverneur Bradford. Et voici le capitaine Standish.

Le capitaine fixe les enfants, les sourcils froncés. Un long fusil est accroché à son épaule.

– Génial ! s'exclame Léa.

– Génial ? répète le capitaine.

– Oui, oui ! intervient vivement Tom. On a... euh, beaucoup entendu parler de vous.

Léa reprend :

– Est-ce que Priscilla est ici ?

– Chut ! souffle Tom, affolé. Tais-toi !

Une jeune fille s'avance. Elle doit avoir seize ou dix-sept ans :

– Je suis Priscilla.

– Oh ! fait Léa, soudain intimidée. Vous êtes encore plus jolie que l'actrice du film.

– L'actrice de quoi ? demande la jeune fille, interloquée.

Tom se met à rire nerveusement :

– N'écoutez pas ma sœur ! Elle est un peu, euh..., un peu maboule !

– Maboule ?

★ ★ ★ ★ ★ ★ ★ ★ ★ ★

– Maboule ? murmurent les gens en échangeant des regards perplexes.

– Oui, c'est... enfin... s'embrouille Tom. C'est un mot qu'on emploie chez nous, et...

– Et où est-ce, chez vous ? l'interroge le capitaine Standish d'une voix sévère.

Tom improvise de son mieux :

– Nous venons d'un village, euh..., d'un village du Nord. Nos parents nous ont envoyés ici pour... hum...

Il se rappelle tout à coup quelque chose qu'il a lu dans le livre :

– Pour apprendre à cultiver le maïs, comme vous !

 Tom et Léa réussiront-ils à convaincre le capitaine Standish qu'ils ne sont pas des ennemis ?

★ ★ ★ ★ ★ ★ ★ ★ ★ ★